KARL MARX

LE CAPITAL

❶

PRÉFACE
D'OLIVIER BESANCENOT

PRÉFACE

Tu pensais que *Le Capital* de Karl Marx, c'était du chinois ? Eh bien voilà la version française du célèbre texte en manga japonais. À partir d'une histoire simple – un petit fromager crée son usine –, la bande dessinée expose ce qu'est le capitalisme, sans manichéisme opposant les gentils et les méchants. Elle déroule et dénonce la logique du système, à la manière dont le cinéaste Ken Loach résume la vraie culpabilité du capitalisme : « Voyez une souris qui ne peut s'échapper de la roue dans laquelle elle tourne, sans cesse. Le problème, ce n'est pas la souris, c'est la roue. » Ce qui est ici démonté pièce par pièce, c'est la roue.

Ce manga en deux tomes absolument complémentaires – le premier porte sur l'argent ; le second sur les mécanismes du capital – est une invitation astucieuse, plaisante et rigoureuse à découvrir l'œuvre majeure de Marx. Si *Le Manifeste du parti communiste* (1848), autre grand texte de l'auteur, est largement lu, *Le Capital*, au contraire, traîne dans le sillage de son succès la réputation d'être inaccessible. Méfions-nous cependant des réputations toutes faites. Certes *Le Capital*, c'est quatre livres, soit environ trois mille pages, rédigés en vingt ans. Ainsi présenté, cela peut calmer les ardeurs. Pourtant, passé les premiers chapitres, ardus du point de vue théorique, l'œuvre s'ouvre à tous et décode clairement les arcanes de l'exploitation capitaliste.

Marx n'acheva qu'une partie de son œuvre, le livre I dédié à l'analyse de la production capitaliste, lieu où se crée et se reproduit le capital, là où se déroule à l'abri des regards l'exploitation de l'homme par l'homme – en bref, la scène du crime. Il fut publié en 1867 et, pour la traduction française, après la Commune de Paris de 1871. Le livre II est consacré au processus de circulation du capital, . Le livre III, à la reproduction d'ensemble – l'ADN du capitalisme. Ils ont été édités à titre posthume en 1885 et 1894, sous la plume de son vieux complice Friedrich Engels qui mit en forme les notes de Marx. Un livre IV a même vu le jour, tout droit sorti de ses brouillons sur les doctrines économiques, et retravaillés entre 1905 et 1910 par le socialiste allemand Karl Kautsky.

Marx s'inspira des économistes « classiques » anglais, tels Adam Smith et, surtout, David Ricardo. Mais il critiqua radicalement leurs thèses car elles ne livraient pas les clefs pour décrypter les causes profondes des crises économiques. À partir d'une étude minutieuse et obsédante, comme il l'écrivit lui-même, de la grande crise de 1857, Marx élabora sa propre théorie de la plus-value. Il démontra que l'exploitation salariale (qui sépare le travailleur qui vend sa force de travail manuel ou intellectuel, de ses moyens de production), est la source d'accroissement du capital. Pourquoi ? Le capital, c'est de l'argent en mouvement pour produire plus d'argent. L'argent, qui existait avant l'ère capitaliste, ne sert plus seulement à monnayer les marchandises. Ce sont les marchandises qui deviennent le moyen pour l'argent de se multiplier au cours du processus : l'argent du financier que le capitaliste industriel investit en acquérant machines, locaux, matières premières ainsi que la force de travail ; l'argent qu'il ramasse à l'issue de la fabrication et de la vente de la marchandise sur laquelle il a misée. L'argent est devenu une fin en soi.

Marx parvint à déceler le moment précis où la plus-value est créée. Ce n'est pas sur les machines ou les matières premières, mais sur la force de travail. Grâce au travail des salariés, les matières premières se transforment en marchandises dont la valeur augmente. Cette valeur ajoutée par le processus de production est largement supérieure au salaire que perçoit le travailleur pour le temps de travail effectué. C'est la grande découverte de Marx : la différence entre le salaire et le temps de travail, le travail non payé, c'est la plus-value, le profit à venir. La plus-value est la valeur du surtravail non payé. Quand une demi-journée de travail suffit objectivement à le rémunérer, le salarié doit pourtant prolonger sa tâche au-delà, sur toute une journée qu'exige contractuellement son employeur. En clair, le salarié est contraint *d'offrir* une demi-journée à son patron ; et c'est la moyenne encore de nos jours. Ce cadeau est la seule véritable source des profits, dont une part sert maintenant à accroître les revenus des capitalistes financiers, des actionnaires qui reçoivent beaucoup d'argent sans lever le petit doigt.

La ficelle est énorme, tellement grosse, que nous n'en avons que peu conscience, souvent convaincus, par la force des apparences, d'être rémunérés à la valeur de ce que nous produisons. C'est précisément là que réside le véritable scandale de nos salaires. Nos revenus ne sont pas trop maigres uniquement parce qu'ils ne nous laissent pas de quoi vivre décemment. Ils sont trop maigres parce que ne nous revient qu'une faible part de ce que nous produisons nous-mêmes. Le capitalisme n'est donc pas ce système virtuel où, *par magie*, l'argent se générerait de lui-même. Non, c'est un système réel qui produit de l'argent en volant le fruit du travail de tous les salariés.

Là où l'économie libérale fantasme un équilibre « quasi inné » grâce aux lois du marché, entre l'offre et la demande, Marx analyse plutôt la schizophrénie chronique qui atteint d'emblée le capitalisme. Pour accroître les profits, le capitalisme doit d'un côté produire et vendre toujours plus de marchandises. De l'autre côté, il doit exploiter toujours plus les travailleurs pour engranger toujours plus de profits. Ce faisant, il licencie, précarise ou bloque les salaires ; ce qui prive d'autant la population des moyens de consommer ce qui est fabriqué. Ainsi, le système capitaliste produit plus, sans plus parvenir à vendre sa production. C'est la marque des crises de surproduction, telles que nous les connaissons aujourd'hui. Sous l'effet de la recherche du profit maximum, le système se dédouble et risque potentiellement de se scinder. C'est la rupture entre l'achat et la vente sur le marché ; entre la production et la finance dans l'économie ; entre la valeur d'usage des marchandises et leur valeur d'échange qui se traduit dans l'argent ; entre le travail utile et concret qui crée les valeurs d'usage et le travail abstrait (le temps de travail volé au salarié) qui crée la valeur d'échange ; entre le capital constant (la part qui sert à acquérir machines et matières premières) et le capital variable (qui achète la force de travail), etc.

Le Capital est au cœur des découvertes et réflexions de Marx. Cette œuvre n'a pas émergé en laboratoire clos, loin des réalités, sous les équations d'un professeur nimbus rouge. Marx est le fondateur de la première association internationale des travailleurs dont le but était de renverser le capitalisme et d'établir le socialisme. *Le Capital* a été échafaudé à partir de l'observation du monde – qui n'a pas fondamentalement changé depuis –, et dont les crises à répétition désagrègent toujours la société plus de 140 ans après sa parution.

Il se dit même que certains capitalistes lisent Marx en douce pour tenter de comprendre ce qui leur arrive. Garde donc précieusement les deux volumes de ce manga, ton employeur pourrait bien avoir envie de te les voler. C'est un bon GPS sur le chemin de l'émancipation.

Olivier Besancenot

PERSONNAGES PRINCIPAUX

LE CAPITAL ❶

ROBIN

Accepte l'argent de Daniel pour la construction d'une usine. Les profits sont immédiats mais c'est aux dépens du bien-être de ses ouvriers, rapidement exploités. Il est pris de remords...

HEINRICH

Le père de Robin. Il est fier d'appartenir à la classe moyenne.

KARL

Ouvrier à l'usine de Robin. Il remet en cause les pratiques capitalistes de certains et qui, selon lui, minent les hommes au travail et annihilent leurs libertés.

HÉLÉNA

Une amie d'enfance de Robin. Elle travaille dur pour sa famille.

DANIEL

Jeune investisseur puissant, aux dents longues. Il contrôle les hommes comme les pièces d'un échiquier avec stratégie et froideur.

ENNIE

Fille d'un grand banquier. Robin en est secrètement amoureux.

LE SURVEILLANT

C'est lui qui surveille, avec une poigne de fer, le travail des ouvriers de l'usine.

« LA RICHESSE DES SOCIÉTÉS DANS LESQUELLES RÈGNE LE CAPITALISME S'ANNONCE COMME UNE GIGANTESQUE ACCUMULATION DE MARCHANDISES. »

SOMMAIRE

LE CAPITAL

LA MARCHANDISE

JEUNE HOMME, IL FALLAIT QUE JE VOUS DISE...

TOUT LE MONDE ADORE VOTRE FROMAGE DANS MON VOISINAGE !

JE VOUS REMERCIE...

D'AILLEURS, NOUS NE COMPRENONS PAS POURQUOI VOUS NE VENEZ AU MARCHÉ QU'UNE FOIS PAR SEMAINE ! VENEZ TOUS LES JOURS !

JE SUIS DÉSOLÉ...

MAIS IL N'Y A QUE MON PÈRE ET MOI POUR LES FABRIQUER..

QUEL DOMMAGE...

DITES, Y'EN A QUI ATTENDENT, LÀ !

HÉ BIEN ! QUELLE ANIMATION !

IL N'Y A QUE DES BONNES CHOSES, ICI...

MERCI ET À BIENTÔT !

SALUT !

ROBIN ?

AUJOURD'HUI ENCORE, C'EST UN SUCCÈS !

OH ! E... ENNIE...

BONJOUR !

AURIEZ-VOUS ENCORE UN PEU DE FROMAGE POUR NOUS ?

HEU... OUI OUI, BIEN ENTENDU !

OUF, TANT MIEUX...

...

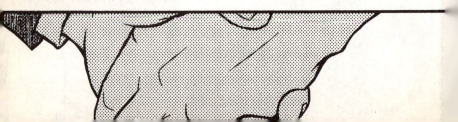

ENNIE A TELLEMENT INSISTÉ POUR QUE JE VIENNE GOÛTER...

JE PEUX ?

OUI, JE VOUS EN PRIE !

DU PECORINO AU LAIT DE BREBIS ? IL EST PARFAITEMENT SALÉ...

CELUI-CI AUSSI EST DÉLICIEUX, TENEZ !

DU GORGONZOLA !

J'EN DÉDUIS QUE VOUS ÉLEVEZ AUSSI DES VACHES !

OUI, DES VACHES ET DES BREBIS.

JE VOIS QUE VOUS ÊTES AUSSI UN SPÉCIALISTE DES FROMAGES !

LA FORCE D'UN INVESTISSEUR SE MESURE À L'ÉTENDUE DE SES CONNAIS-SANCES...

IL Y A DE NOMBREUX AUTRES FROMAGERS AU MARCHÉ...

ET POURTANT, ILS ONT TOUS L'AIR DE SE TOURNER LES POUCES...

VOUS ÊTES LARGEMENT AU-DESSUS DU LOT...

PENSEZ-VOUS AVOIR SUFFISAMMENT PRODUIT POUR RÉPONDRE À TOUTE CETTE DEMANDE ?

DISONS QUE JE NE VIENS AU MARCHÉ QU'UNE SEULE FOIS PAR SEMAINE...

POURQUOI NE PAS VENIR PLUS SOUVENT, ALORS ?

OUI ! SURTOUT QU'ENNIE SERAIT RAVIE DE VOUS Y VOIR PLUS SOUVENT !

NE DITES PAS DE SOTTISES, VOYONS !

VEUILLEZ L'EXCUSER, ROBIN...

HA HA !

...

DITES, D'AUTRES PERSONNES ATTENDENT DERRIÈRE ...

OH, PARDON ! OUI, NOUS AVONS BIENTÔT TERMINÉ !

QUI DIT
BREBIS
ET VACHES
DIT AUSSI
FROMAGE,
LAIT, LAINE,
VIANDE
D'AGNEAU
ET VIANDE
DE BŒUF...

PAS
MAL...

SERAIT-IL
POSSIBLE
DE VISITER
VOTRE
FABRIQUE
UN JOUR
PROCHAIN ?

HEIN ?

OH
OUI ! J'AI
TOUJOURS
RÊVÉ DE
LA VISITER
MOI AUSSI !

...

SALUT
PAPA !

AUJOURD'HUI ENCORE, NOUS AVONS TOUT VENDU...

...

TU SAIS, JE PENSE QU'UN PEU PLUS D'ARGENT NE NOUS FERAIT PAS DE MAL...

ON DEVRAIT LAISSER NOS VACHES ET NOS BREBIS SE REPRODUIRE POUR...

VA PLUTÔT T'OCCUPER DES CAMEMBERTS !

...

BONSOIR ! JE VIENS CHERCHER DU FROMAGE !

LES TOMATES D'AUJOURD'HUI SONT PARTICULIÈREMENT SUCRÉES !

TENEZ, J'AI ÇA EN ÉCHANGE...

...

AH ET PUIS, JE DOIS AVOIR AUSSI UN PEU DE MONNAIE...

MADAME, ÇA IRA POUR CETTE FOIS, MAIS N'OUBLIEZ PAS QUE NOUS NE FAISONS PLUS DE TROC ET QUE...

MERCI INFINIMENT MADAME !

VOS TOMATES ONT TOUJOURS ÉTÉ LES MEILLEURES DE LA RÉGION !

IL SUFFIT DE LES REGARDER POUR VOIR TOUTE LA PEINE QUE VOUS VOUS DONNEZ À LA TÂCHE.

NE VOUS INQUIÉTEZ PAS POUR L'ARGENT. VOUS NOUS PAIEREZ QUAND VOUS POURREZ...

PAPA !

ROBIN !

SAIS-TU DE QUOI EST FAIT L'ARGENT ?

LE TEMPS ET LE TRAVAIL QU'ONT DEMANDÉ LES TOMATES DE CETTE DAME...

AINSI QUE LE TEMPS ET LE TRAVAIL QUE NOUS DEMANDENT NOS FROMAGES...

TOUT CELA, L'ARGENT SE CONTENTE JUSTE D'APPORTER UNE MESURE DE VALEUR !

EN PIÈCES ET EN BILLETS !

...

TU M'AS DÉJÀ RACONTÉ ÇA DES CENTAINES DE FOIS...

MAIS DANS LA VIE, ON A BESOIN D'AUTRES CHOSES QUE DES TOMATES !

ET PUIS...

SI ON AVAIT EU DE L'ARGENT, PEUT-ÊTRE QUE MAMAN...

MAMAN SERAIT ENCORE EN VIE AUJOUR-D'HUI...

VOILÀ CE QUE J'AI À DIRE...

...

NOUS AIMONS CE QUE NOUS FAISONS. NOTRE MÉTIER...

ET NOUS N'AVONS PAS TOUS LES SOUCIS DE CES VAUTOURS QUI VEULENT TOUJOURS PLUS ET QUI NE PENSENT QU'À S'ENRICHIR.

IL N'Y A RIEN DE TEL POUR LES HOMMES QU'UNE VIE DE CLASSE MOYENNE.

JE TE LAISSE RANGER L'ÉTABLE ...

C'EST ÉGALEMENT CE QUE PENSAIT TA MÈRE.

CLONG

CLONG

VROOOM

28

BONJOUR ROBIN !

OH, DANIEL !

ET VOUS AUSSI, ENNIE !

J'AI CRU ROULER DES HEURES !

OUI, C'EST UN PEU LOIN...

OUI...

VOICI DONC VOTRE FABRIQUE ?

PAPA !
CE SONT LES
PERSONNES
DONT JE T'AI
PARLÉ TOUT
À L'HEURE.
ELLES VIENNENT
VISITER NOTRE
ÉTABLE.

JE VOUS
PRÉSENTE
MON PÈRE,
HEINRICH.

ENCHANTÉ,
MONSIEUR !
JE...

TOUTE
PERSONNE
ÉTRANGÈRE
À LA
PROFESSION
N'EST PAS
AUTORISÉE
À PÉNÉTRER
ICI !

PAPA
!

...

HÉ BIEN...

C'EST DONC ICI QUE SONT CONFECTIONNÉS TOUS VOS DÉLICIEUX PRODUITS ?

PAPA, VOICI ENNIE. C'EST UNE TRÈS BONNE CLIENTE.

ELLE VIENT TOUTES LES SEMAINES NOUS ACHETER DU FROMAGE.

...

HEINRICH ? J'EN DÉDUIS PAR VOTRE NOM QUE...

VOUS ÊTES D'ORIGINE ALLEMANDE ?

OUI, MAIS IL NE FAIT PLUS TRÈS BON VIVRE EN ALLEMAGNE EN CE MOMENT...

MAIS OÙ AVEZ-VOUS ACQUIS VOS TECHNIQUES DE FABRICATION ?

AU GRÉ DE MES MIGRATIONS.

...

NE ME MENTEZ PAS ! VOUS N'ÊTES PAS VENUS POUR UNE SIMPLE VISITE, N'EST-CE PAS ?

?

TCHAAAF

SNIF
SNIF

TCHAAAF

TCHAAAF

AH...

HÉLÉNA
!

HÉLÉNA
?

ROBIN...

TU AS TRAVAILLÉ AU CHAMP DE TON PROPRIÉTAIRE, AUJOURD'HUI ?

OUI...

TU AS VRAIMENT L'AIR ÉPUISÉ ...

...

ON PEUT DIRE ÇA COMME ÇA, OUI...

ET IL ME RESTE LA LESSIVE À FAIRE EN RENTRANT.

TU PARLES D'UNE VIE !

CE N'EST PAS TA MÈRE QUI FAIT LA LESSIVE ?

PLUS DEPUIS QU'ELLE A MAL AU DOS...

ELLE EST SOUFFRANTE ?

NON, ÇA PEUT ALLER. MAIS JE SUIS JEUNE, MOI !

ET TOI ROBIN ? QUOI DE NEUF ?

HÉ BIEN, J'AI SYMPATHISÉ AVEC UN GARS DE LA VILLE ! UN INVESTISSEUR TRÈS PUISSANT.

UN INVESTIS- SEUR ?

OUI. ET IL M'A MÊME PROPOSÉ...

DE FAIRE UNE USINE AVEC LUI...

UNE USINE ? MAIS TU EN AS DÉJÀ UNE...

NON NON ! QUELQUE CHOSE DE BIEN PLUS GRAND !

BIEN PLUS GRAND ?

OUI !

ON UTILISERAIT DES MACHINES ET NOUS POURRIONS EMPLOYER DE NOMBREUX OUVRIERS...

LE TRAVAIL IRAIT PLUS VITE ET LA PRODUCTION SERAIT BIEN MEILLEURE !

PRODUIRE PLUS DE CHOSES ? TU VEUX PARLER DE TES FROMAGES ?

OUI !

ET C'EST TON AMI QUI PAIERAIT LA FABRICATION DE L'USINE ?

OUI...

ET TU SERAIS ALORS NOMMÉ PRÉSIDENT DE L'ENTREPRISE ?

SÛRE-MENT...

HEIN ? TU POURRAIS ALORS EMPLOYER MON PÈRE ET MA MÈRE ET LEUR DONNER UN SALAIRE ?!?

HA HA HA !

C'EST TROP BEAU...

... POUR ÊTRE VRAI...

AU FAIT, N'OUBLIE PAS LA PROMESSE QUE TU M'AS FAITE QUAND NOUS ÉTIONS ENFANTS !

SI JAMAIS TU RÉUSSIS DANS LA VIE, TU AS PROMIS DE M'ÉPOUSER !

OUI OUI, C'EST ÇA...

C'EST
NON !

JE NE PENSE
POURTANT PAS
QUE CE SOIT
UNE MAUVAISE
PROPOSITION...

HÉ BIEN
MOI, SI !

JE N'AI AUCUNE ENVIE DE ME FAIRE BALADER PAR DES CAPITALISTES DANS VOTRE GENRE...

HA HA HA !

VOUS PRÉTENDEZ FAIRE CELA AFIN QUE LE PLUS GRAND NOMBRE PUISSE ENFIN DÉCOUVRIR NOS FROMAGES ?

LAISSEZ-MOI RIRE !

AYEZ LE COURAGE D'AVOUER VOS VÉRITABLES BUTS !

PAPA !

...

VOS FROMAGES DEVIENDRONT UNE VÉRITABLE MARQUE...

VOS BÊTES, ÉLEVÉES AVEC QUALITÉ...

... DONNERONT DU LAIT, DE LA LAINE ET DE LA VIANDE.

EN D'AUTRES TERMES, VOTRE SAVOIR-FAIRE...

... SE TRANSFOR-MERA EN ARGENT !

...

ROBIN, ON RENTRE !

DE L'ARGENT, VOUS DITES ?

DE L'ARGENT, OUI...

ROBIN ! AS-TU DÉJÀ OUBLIÉ QUEL ÉTAIT LE MESSAGE DE TA MÈRE ?

...

DIS-MOI, ROBIN. QUE VOULAIT DIRE TON PÈRE LORSQU'IL PARLAIT DU MESSAGE DE TA MÈRE ?

BROOOOM

SES DERNIÈRES PAROLES...

LA CLASSE MOYENNE EST CE QUI CONVIENT LE MIEUX AUX HOMMES...

JE VOIS...

CEPENDANT, SI ON AVAIT EU UN PEU D'ARGENT DE CÔTÉ, ON AURAIT PEUT-ÊTRE PU LA SAUVER...

AVEC UN BON MÉDECIN ET QUELQUES MÉDICAMENTS...

SI JE COMPRENDS BIEN, C'EST CE DOULOUREUX SOUVENIR DE MANQUE D'ARGENT QUI...

... T'A MOTIVÉ À ACCEPTER MA PROPOSITION ?

OUI...

J'IMAGINE QU'UN JOUR, MON PÈRE FINIRA AUSSI PAR VIEILLIR ET TOMBER MALADE...

...

HÉ BIEN, ÇA C'EST UNE SACRÉE RÉPONSE !

...

MAIS AU MOINS, C'EST CLAIR !

VOILÀ, TU N'AS PLUS QU'À SIGNER AU BAS DE CETTE FEUILLE...

?

QU'EST-CE QUE C'EST ?

UN CONTRAT D'ASSURANCE !

ÈMENT
RÉVOCABLE

PARFAIT !

HÉ BIEN QUE
L'AVENTURE
COMMENCE !

AUTREMENT DIT, TU DOIS RÉUSSIR À METTRE EN VALEUR TON SAVOIR-FAIRE...

... ET LE PRODUIRE EN ÉLIMINANT TOUTES LES DÉPENSES SUPERFLUES. LE MOINS CHER POSSIBLE...

... ET DANS UN TEMPS RÉDUIT AU MAXIMUM...

LA MOINDRE PETITE FAILLE DANS TON ENGRENAGE...

ET C'EST ÉCHEC ET MAT...

POUR TON ENTRE- PRISE !

TU COM- PRENDS ?

TU TE DÉBROUILLES TRÈS BIEN POUR UN DÉBUTANT, ROBIN !

ROBIN, LES ÉCHECS COMBINENT STRATÉGIE ET TACTIQUE...

LA STRATÉGIE T'OBLIGE À REGARDER LOIN DANS L'AVENIR POUR ANTICIPER ET BÉNÉFICIER DE TOUTES LES ÉVENTUALITÉS FUTURES...

EXACTEMENT CE QU'IL TE FAUDRA AUSSI AU TRAVAIL.

ALORS QU'UNE BONNE TACTIQUE TE PERMETTRA DE PRENDRE LES BONNES DÉCISIONS EN UN TEMPS RECORD ET DE VAINCRE TES CONCURRENTS.

ROBIN, TU ES UNE PIÈCE DE MA STRATÉGIE GÉNÉRALE...

JE TE CONSIDÈRE COMME MON CAVALIER, TU COMPRENDS ?

...

L'EXPLOI-TATION

COMMENT POUVEZ-VOUS ÊTRE TOUJOURS AUSSI LENTS APRÈS TROIS MOIS DE PRATIQUE ?!?

SURTOUT QUE VOUS ÊTES TROIS POUR FAIRE ÇA !

ON FAIT CE QU'ON PEUT...

MAIS NON VOYONS ! IL FAUT POSER CES CARTONS LÀ-BAS !

COMBIEN DE FOIS DEVRAI-JE VOUS LE RÉPÉTER ?

ET VOUS, LÀ ! C'EST COMME ÇA QUE L'ON REMUE...

CHEF, NOUS NE SOMMES PAS DES ARTISANS, CELA PREND DU TEMPS...

!

MAIS VOUS AVEZ DES MACHINES POUR VOUS AIDER !

ÇA N'A STRICTEMENT RIEN DE COMPLIQUÉ !

PATRON, LAISSEZ-MOI M'EN CHARGER...

ZUIP

...?

BING !

QU'EST-CE QUE TU...

VOUS SAVEZ CE QU'IL VOUS RESTE À FAIRE...

FERMEZ-LA ET RETOURNEZ À VOS POSTES !

...?

PATRON ! VOUS DEVEZ LES TENIR AVEC PLUS DE FERMETÉ !

...

QUI ES-TU ?

C'EST MONSIEUR DANIEL QUI M'ENVOIE...

IL SE DOUTAIT QUE VOUS AURIEZ BESOIN DE QUELQU'UN COMME MOI...

MAIS POURQUOI L'AVOIR FRAPPÉ COMME ÇA ?!?

QUOI ?

NOUS... NOUS APPRENONS CE MÉTIER ET IL EST NORMAL QUE NOUS...

LA FERME !

...

LE PRÉSIDENT M'A CHARGÉ DE VOUS DIRE QUE LA MAIN-D'ŒUVRE...

...POUR VOUS REMPLACER NE MANQUAIT PAS EN VILLE !

...

ÇA NE VA PAS ! CE FROMAGE EST IMMANGEABLE !

GLOUPS

PARDON !

IDIOT ! TU NE PEUX PAS FAIRE PLUS ATTENTION ?!?

LA VIOLENCE NE MÈNE À RIEN, VOYONS !

SI ON CONTINUE COMME ÇA...

... NON SEULEMENT LE FROMAGE SERA MAUVAIS...

... MAIS TOUTE LA PRODUCTION SERA COMPROMISE...

SI JAMAIS TU ÉCHOUES...

... JE DOIS M'ASSURER QUE JE...

... POURRAI RÉCUPÉRER CE QUE JE T'AI PRÊTÉ...

TOUS LES
OUVRIERS
RENTRENT
CHEZ EUX...

Y'A
MÊME DES
ENFANTS...

DIS, BON-HOMME !

TU RENTRES AUSSI DE L'USINE ?

...

HEU...

ET QU'EST-CE QUE TU Y FABRIQUES, LÀ-BAS ?

CE QUE JE FABRIQUE ?

...

HEU...

JE PRENDS LES OUTILS ICI...

... ET JE LES POSE LÀ...

J'APPUIE SUR UN LEVIER ET UNE AUTRE PERSONNE S'OCCUPE DE LA SUITE...

ET ÇA DEVIENT QUOI À LA FIN ?

C'EST TOUT CE QUE JE FAIS, MOI !

ET ÇA VA SERVIR À QUOI, AU FINAL ?

À QUOI ? HEU...

...

JE... JE PRENDS LES OUTILS ICI ET...

... JE LES POSE LÀ APRÈS...

J'APPUIE SUR UN LEVIER ET UNE AUTRE PERSONNE S'OCCUPE DE LA SUITE...

WHA HA HA HA !

CE N'EST QU'UN IDIOT DE GOSSE !

...

HA HA HA

CES MORVEUX N'ONT MÊME PAS ÉTÉ ÉDUQUÉS CORRECTEMENT ! COMMENT VOULEZ-VOUS QU'ILS Y COMPRENNENT QUELQUE CHOSE !

ILS NE VALENT PAS MIEUX QUE DES SINGES !

GRRR

QUANT À TOI, TON CERVEAU N'EST FAIT QUE DE MUSCLES !

HÉ HÉ HÉ...

...

J'AI ÉGALEMENT DEMANDÉ AUX ADULTES...

ET LA PLUPART N'ONT PAS RÉUSSI À ME DIRE CE QUE LEUR USINE FABRIQUAIT !

VOUS SAVEZ, C'EST PARTOUT PAREIL !

À MAIN-D'ŒUVRE IDIOTE, TRAVAIL IDIOT !

ILS SE FICHENT DE CE QU'ON LEUR FAIT FAIRE, DU MOMENT QU'ILS REÇOIVENT DE L'ARGENT !

73

TRAVAIL IDIOT...

SI SIMPLE QUE MÊME UN ENFANT PEUT LE FAIRE...

J'AI BESOIN D'UN COUP DE MAIN, ICI !

J'ARRIVE !

AT... ATTENDEZ UN INSTANT !

...

S'IL VOUS PLAÎT ! VEUILLEZ STOPPER CE QUE VOUS FAITES QUELQUES MINUTES !

JE CONSTATE QUE VOUS COUREZ DANS TOUS LES SENS...

PEUT-ÊTRE QU'EN REDÉFINISSANT VOS POSTES, ON GAGNERA EN EFFICACITÉ...

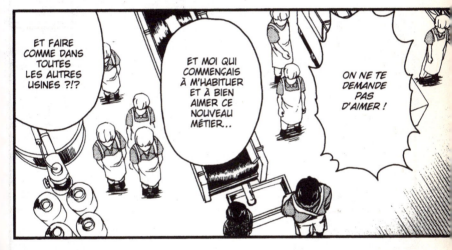
ET FAIRE COMME DANS TOUTES LES AUTRES USINES ?!?

ET MOI QUI COMMENÇAIS À M'HABITUER ET À BIEN AIMER CE NOUVEAU MÉTIER...

ON NE TE DEMANDE PAS D'AIMER !

BON, FAISONS QUELQUES ESSAIS...

75

... UNE SEULE PERSONNE SERA SUFFISANTE À CE POSTE DONC IL EST PRÉFÉRABLE QUE TU AILLES AU FOND DE LA LIGNE...

TOI, TU T'OCCUPERAS DE LA CARGAISON...

ON DIRAIT QUE LA PRODUCTION EST PLUS FLUIDE AINSI...

JE SUIS POURTANT PERSUADÉ QU'ON PEUT ENCORE ALLER PLUS VITE...

HUUU...

TU AS MAL AU DOS ?

OUI, JE CROIS QUE J'AI TROP FORCÉ SUR MA FEMME HIER SOIR ! HA HA HA !

HAA... HAA...

HEU, DÉSOLÉ, MAIS...

...

SI VOUS TRAÎNEZ À CE POSTE, C'EST TOUT LE RESTE DE L'USINE QUI EST RALENTI...

MONTREZ-NOUS COMMENT FAIRE, ALORS !

SI VOUS VOULEZ, OUI...

IL NE FAUT NÉGLIGER AUCUNE PARTIE...

TOUT LE CONTENU DOIT ÊTRE MÉLANGÉ, AVEC FORCE ET DE MANIÈRE ÉQUITABLE...

ZUIP

OUI...

ET TENEZ BIEN LA...

!?

FUUU

OUI ?

ON NE FUME PAS À CÔTÉ DES FROMAGES !

JE VOUS SIGNALE QUE VOUS ÊTES AU TRAVAIL !

JUSTE UNE, QUOI !

...

VOUS AVEZ UN PROBLÈME, PATRON ?

MERCI...

PATRON, VOICI LES COMPTES DU MOIS...

NOUS AVONS BEAUCOUP DE DÉPENSES EN MATIÈRES PREMIÈRES...

OUI...

ELLES SONT DUES AUX MAUVAISES RÉCOLTES...

AUX MAUVAISES RÉCOLTES ?

OUI, ELLES ONT FAIT GRIMPER LES PRIX DE LA PÂTURE POUR NOTRE BÉTAIL...

JE VOIS...

SI ON NE RÉAGIT PAS TRÈS VITE, ON VA SE RETROUVER DANS LE ROUGE...

OUI...

IL FAUT TROUVER UN MOYEN DE FAIRE QUELQUES ÉCONOMIES...

ENTREZ, ENTREZ !

SALUT ROBIN !

ALORS, COMMENT SE PORTENT TES AFFAIRES ?

OH, DANIEL...

HÉ BIEN JE DOIS DIRE QUE VOUS TOMBEZ À PIC !

...

IL S'AGIT DES COMPTES DE CE MOIS-CI...

HMMM, JE VOIS...

TU GLISSES VERS UNE PENTE RAIDE, LÀ...

OUI...

JE ME DOUTAIS BIEN QUE ÇA N'ALLAIT PAS TARDER À ARRIVER...

ET DONC ?

QUE COMPTES-TU FAIRE POUR RENVERSER LA SITUATION ?

AUGMENTER LA MAIN-D'ŒUVRE POUR UN MEILLEUR TAUX DE PRODUCTION COÛTERAIT BIEN TROP CHER...

D'UN AUTRE CÔTÉ...

... ACHETER DES MATIÈRES PREMIÈRES BON MARCHÉ AURAIT DES CONSÉQUENCES SUR LA QUALITÉ...

IL NE FAUT FAIRE AUCUN COMPROMIS, ROBIN...

TU ES SUR LE POINT DE FRANCHIR LA PREMIÈRE GRANDE ÉTAPE DEPUIS LA FONDATION DE TON ENTREPRISE.

TU ES ENFIN DEVENU UNE MARQUE, MAIS TU DOIS AUJOURD'HUI PARVENIR À L'IMPOSER PARTOUT POUR FAIRE DU RÉSULTAT.

OUI, MAIS...

COMMENT FAIRE...

ROBIN...

JE VAIS T'APPRENDRE LES SECRETS ET LES TECHNIQUES DE L'ALCHIMIE...

? L'ALCHIMIE ?

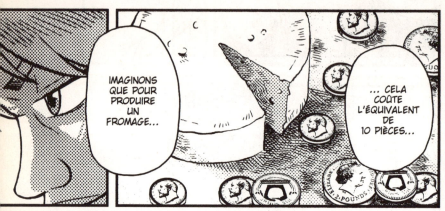

IMAGINONS QUE POUR PRODUIRE UN FROMAGE...

... CELA COÛTE L'ÉQUIVALENT DE 10 PIÈCES...

ON ESTIME QUE LA MATIÈRE PREMIÈRE REPRÉSENTE 4 PIÈCES...

L'ACHAT, L'ENTRETIEN ET LE VIEILLISSEMENT DU MATÉRIEL AJOUTENT 4 PIÈCES SUPPLÉMENTAIRES.

LA MAIN-D'ŒUVRE, ELLE, NÉCESSITE UNE PIÈCE.

4+4+1

FONT
9.

?

IL TE
RESTE
DONC...

... UNE
PIÈCE !

MAIS LE
POSTULAT
DE DÉPART
MENTIONNAIT
UN COÛT DE
10 PIÈCES,
NON ?

COMMENT
SE FAIT-IL
QU'IL VOUS
EN RESTE
UNE,
ALORS ?

TU PENSES
MAL LE
PROBLÈME...

NOUS PROPOSONS DU TRAVAIL AUX GENS...

EN QUELQUE SORTE, NOUS ACHETONS LEUR FORCE DE TRAVAIL.

MAIS CONTRAIREMENT AUX MACHINES, LES PARAMÈTRES LIÉS À LA MAIN-D'ŒUVRE SONT IMPRÉVISIBLES ET PEUVENT CHANGER TRÈS FACILEMENT.

ON SAIT QUE LA MAIN-D'ŒUVRE ENTRAÎNE UN MINIMUM DE DÉPENSES, MAIS IL EST DIFFICILE DE LUI DONNER UNE VALEUR DÉFINITIVE ET MAXIMUM !

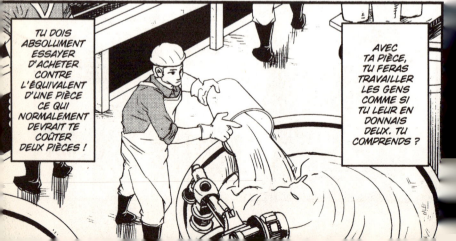

TU DOIS ABSOLUMENT ESSAYER D'ACHETER CONTRE L'ÉQUIVALENT D'UNE PIÈCE CE QUI NORMALEMENT DEVRAIT TE COÛTER DEUX PIÈCES !

AVEC TA PIÈCE, TU FERAS TRAVAILLER LES GENS COMME SI TU LEUR EN DONNAIS DEUX. TU COMPRENDS ?

AUTREMENT DIT, SANS QUE TU N'AIES À LEVER LE PETIT DOIGT, TU PARVIENDRAS DÉJÀ À GAGNER UNE PIÈCE SUR CHAQUE FROMAGE !

N'OUBLIE PAS QUE TU N'ES PAS LÀ POUR JOUER AUX ALTRUISTES...

SI TU TIENS VRAIMENT À ATTEINDRE TON BUT...

... TU DOIS DONC EXPLOITER LE FILON AU MAXIMUM !

ILS N'ONT PAS BESOIN D'ARGENT TU SAIS...

ELLE GUÉRIRA VITE, TU VERRAS...

MAIS ILS DISENT QUE C'EST PARCE QU'ILS N'ONT PAS D'ARGENT QU'ELLE EST TOMBÉE MALADE !

AH BON ? ALORS TOUT VA BIEN, HEIN ?

NON NON, ÇA N'A RIEN À VOIR.

ROBIN, L'ARGENT N'EST D'AUCUN SECOURS POUR LES HOMMES...

SEUL DIEU VEILLE SUR NOUS ET NOUS PROTÈGE...

C'EST PARCE QU'ON ÉTAIT FAUCHÉS QU'ON N'A RIEN PU FAIRE POUR TOI NON PLUS...

NOUS ALLONS AUGMENTER LA CADENCE DE PRODUCTION.

...

TU AS ENTENDU CE QUE JE VIENS DE DIRE ? ALORS FAIS CE QUE TU AS À FAIRE !

...

J'AI COMPRIS POURQUOI DANIEL T'A PROPOSÉ CE POSTE.

IL VA FALLOIR QUE NOS EMPLOYÉS SE SORTENT LES MAINS DES POCHES.

SINON, ILS SE PASSERONT EUX-MÊMES LA CORDE AU COU.

MAIS NE SOIS PAS TROP BRUSQUE...

NON...

FAIS COMME BON TE SEMBLERA.

VOS DÉSIRS SONT DES ORDRES...

HÉ HÉ

SI SEULEMENT MAMAN, LA GRAND-MÈRE D'HÉLÉNA...

... MON PÈRE ET HÉLÉNA AUSSI... AVAIENT UN PEU PLUS D'ARGENT...

L'ARGENT EST FAIT DU LABEUR DES HOMMES !

SANS MÊME QUE TU AIES BESOIN DE LEVER LE PETIT DOIGT, TU PARVIENS À GAGNER UNE PIÈCE ET À CRÉER DE LA RICHESSE.

BONSOIR ROBIN !

BON... BONSOIR ENNIE...

TENEZ...

SI J'AVAIS AUSSI DE L'AR- GENT...

... ALORS JE SERAI POUR ENNIE ET SA FAMILLE UN PRÉTENDANT AU MARIAGE...

PARDONNEZ- MOI DE VOUS INVITER ALORS QUE VOUS AVEZ BEAU- COUP DE TRAVAIL...

NON NON ! C'EST TOUJOURS UN IMMENSE PLAISIR..

GAR-ÇON !

MADE-MOISELLE ?

DONNEZ-NOUS LA SALADE DE D'HABITUDE...

TOUT DE SUITE, MADEMOI-SELLE...

SALADE DE TOMATE FRAÎCHE ET DE MOZZARELLA ...

TOC ...

...

HO HO HO !

GOÛTEZ CHER ROBIN...

HMMM... C'EST BON...

LE FROMAGE N'EST PAS MAL NON PLUS...

HÉ BIEN SACHEZ QU'ILS UTILISENT CELUI DE VOTRE USINE !

HA BON ?

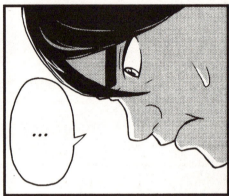

...

MON PÈRE EST LE PRINCIPAL ACTIONNAIRE DE CET ÉTABLISSEMENT.

C'EST MOI QUI LUI AI DEMANDÉ DE METTRE VOTRE FROMAGE AU MENU DE LA CARTE.

TCHAP

LE GOÛT
N'EST
PLUS
CE QU'IL
ÉTAIT...

MIAM
MIAM

HMM ?

TCHAP

...

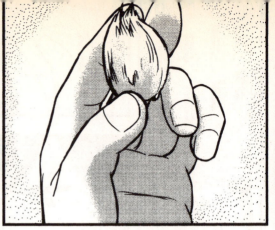

TCHAP TCHAP TCHAP TCHAP TCHAP TCHAP TCHAP

PATRON ?
POURQUOI
FAITES-VOUS
DE PETITS
MORCEAUX ?

DAAAM

DAAAM

NON
NON,
POUR
RIEN...

RÉDUIRE LA TAILLE ? HOOO...

PROPOSER AUX GENS UNE TAILLE DE PRODUIT FACILE À UTILISER POUR LES CUISINIERS OU BIEN PRATIQUE À MANGER RAPIDEMENT. PLUS BESOIN DE LE COUPER !

NON SEULEMENT ON UTILISE MOINS DE MATIÈRE MAIS, EN OUTRE, NOTRE PRIX DE VENTE SEMBLERA PLUS ATTRACTIF.

OUI...

JE PENSE QUE CETTE IDÉE NOUS PERMETTRA D'AMÉLIORER NOTRE RENDEMENT ET NOTRE POSITION VIS-À-VIS DE NOS CLIENTS.

BIEN ENTENDU, NOUS ALLONS AUSSI CONTINUER DE PRODUIRE DANS LES FORMATS HABITUELS.

C'EST UNE BONNE IDÉE.

MAIS PENSES-TU QUE LE GOÛT NE SE PERDRA PAS AVEC CETTE NOUVELLE CADENCE ?

JE MISE SUR L'IMAGE DE MON PRODUIT...

J'AI QUELQUES IDÉES À CE SUJET...

L'IMAGE PLUTÔT QUE LE GOÛT ?

HÉ BIEN, TU N'AS PAS FROID AUX YEUX ! JE SUIS DE TOUT CŒUR AVEC TOI, MON CHER CAVALIER !

LA FORCE DE TRAVAIL

AUTREFOIS, J'AI COMMENCÉ À VENDRE AU MARCHÉ POUR GAGNER DE L'ARGENT...

JE DOIS ALLER JUSQU'AU BOUT ET NE SURTOUT PAS LOUPER CETTE CHANCE QUI SE PRÉSENTE À MOI !

JE FONCE !

PFUU, C'EST FINI...

WOUOUOUOU !

6

9

ON RENTRE...

...

VOTRE ATTENTION, S'IL VOUS PLAÎT !

JE SOUHAITE QU'À PARTIR D'AUJOURD'HUI VOUS TRAVAILLIEZ JUSQU'À 21 HEURES...

HEIN ?

MAIS ON TRAVAILLE DÉJÀ 10 HEURES PAR JOUR !

TOUS CEUX QUI AURONT DE BONS RÉSULTATS AURONT UNE PRIME À LA FIN DU MOIS !

UNE PRIME...

UNE PRIME ?

EN REVANCHE, CEUX DONT LA PRODUCTION SERA DÉCEVANTE...

... SERONT PÉNALISÉS.

UNE PRIME ? ILS NE LA MÉRITENT PAS DE TOUTE FAÇON !

ELLE SERA DÉRISOIRE PAR RAPPORT AUX NOUVEAUX GAINS DE PRODUCTION !

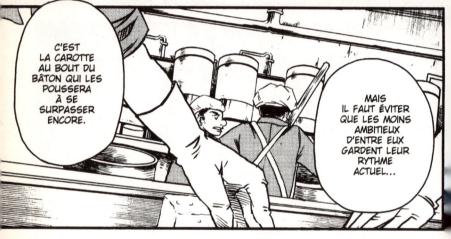

C'EST LA CAROTTE AU BOUT DU BÂTON QUI LES POUSSERA À SE SURPASSER ENCORE.

MAIS IL FAUT ÉVITER QUE LES MOINS AMBITIEUX D'ENTRE EUX GARDENT LEUR RYTHME ACTUEL...

QUAND JE NE SUIVAIS PLUS LA CADENCE, MON PÈRE N'HÉSITAIT PAS À ME DONNER LA FESSÉE...

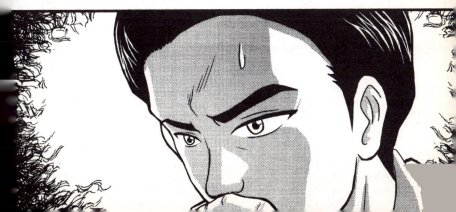

ATCHOUM
!

KOF !

ÇA NE VA PAS ?

KOF !
KOF !

TU DEVRAIS PRENDRE UN PEU DE REPOS, TU NE CROIS PAS ?

MAIS MES RÉSULTATS VONT BAISSER, SI TU VOIS CE QUE JE VEUX DIRE...

ÉCOUTE, TU N'ES PAS LEUR ESCLAVE...

PFUU, C'EST TOUT COMME, AU FINAL !

DE TOUTE FAÇON, C'EST PARTOUT PAREIL. ON NOUS TRAITE COMME DES CHIENS...

MAIS SANS CE BOULOT, COMMENT POURRAIT-ON SURVIVRE ?

...

JE SUIS RENTRÉ !

BONSOIR CHÉRI !

LES DEUX PETITS SONT COUCHÉS ?

OUI, EUX AUSSI ONT EU UNE JOURNÉE DE TRAVAIL ÉPUISANTE...

NE LES RÉVEILLE PAS !

...

TU DOIS AVOIR FAIM !

NCORE DU AIN ET DU ROMAGE ?

J'AI LA NAUSÉE RIEN QU'À VOIR DU FROMAGE...

LA PRODUCTION DE TON USINE A BEAUCOUP DE SUCCÈS DANS LE QUARTIER, TU SAIS ? IL N'EST PAS CHER...

...

HMM
...

...

...

ACCEPTE LA RÉALITÉ AU LIEU DE LA REMETTRE EN CAUSE !

NOUS TRAVAILLONS POUR AVOIR UNE VIE DÉCENTE !

...

ET LE TRAVAIL N'A RIEN D'UNE PARTIE DE PLAISIR !

TU ES LE PILIER DE NOTRE FOYER, NE L'OUBLIE PAS...

ELLE SE TROMPE !

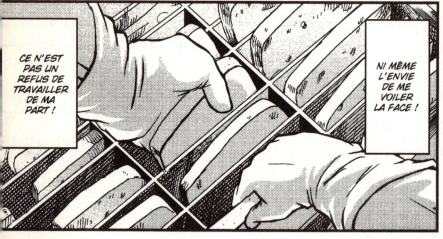

CE N'EST PAS UN REFUS DE TRAVAILLER DE MA PART !

NI MÊME L'ENVIE DE ME VOILER LA FACE !

MAIS C'EST JUSTEMENT PARCE QUE JE VOIS TROP BIEN LA RÉA-LITÉ...

... QUE JE ME RENDS COMPTE QUE QUELQUE CHOSE NE VA PAS DANS CE SYSTÈME ...

KOF !

KOF !

ET VOUS AUTRES, VOUS AVEZ INTÉRÊT À BIEN BOSSER AUJOURD'HUI !

NOUS TRAVAILLONS POUR AVOIR UNE VIE DÉCENTE !

TU ES LE PILIER DE NOTRE FOYER !

POUR UNE VIE... DÉCENTE ...?

POUR UNE VIE DÉCENTE...

KOF !

AARGH
...

...

POUR UNE VIE...

…

RETOURNE AU BOULOT !

GNAP

QUOI ? QU'EST-CE QU'IL Y A ?

T'AS UN PROBLÈME MON GARS ?

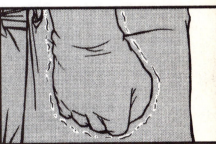

NOUS NE SOMMES PAS...

... VOS ESCLAVES !

BING !

ON NE TE DEMANDE PAS TON AVIS ! AU BOULOT, FEIGNANT !

ARRÊTE ! STOP !

SI ON NE LES MATE PAS IMMÉDIATEMENT, ILS...

ÇA SUFFIT !

HAAA...

FUUU...

NOUS NE SOMMES PAS...

HAAA   HAAA

... VOS ESCLAVES...

HAAA...

VOUS USEZ DE LA VIOLENCE, NOUS FAITES TRAVAILLER SANS MÊME NOUS LAISSER NOUS REPOSER...

ET TOUT ÇA POUR UN SALAIRE MENSUEL DE MISÈRE !

QUI ÊTES-VOUS POUR NOUS TRAITER AINSI ?!?

QU'EST-CE QUI VOUS DIFFÉRENCIE DE NOUS, HEIN ?

ET POURTANT, TOUT EST DIFFÉRENT !

DU MATIN JUSQU'AU SOIR, NOUS TRAVAILLONS COMME DES FORCENÉS !

MAIS NOUS GAGNONS À PEINE DE QUOI NOURRIR NOS ENFANTS !

QUANT À VOUS ! JAMAIS UNE GOUTTE DE SUEUR SUR VOS FRONTS ! MAIS TOUT L'ARGENT VOUS REVIENT !

QU'EST-CE QUE CELA SIGNIFIE ?

C'EST ANORMAL ! C'EST INJUSTE !

SI VOUS VOULEZ MON AVIS, IL VAUDRAIT MIEUX LE FAIRE TAIRE RAPIDEMENT...

SINON L'INFECTION VA RAPIDEMENT SE PROPAGER...

L'INFEC-TION ?

ILS NE TARDERONT PAS À VENIR BRANDIR LEURS DROITS DE L'HOMME OU L'ÉGALITÉ POUR TOUS !

ET ÇA VA DEVENIR UN ENFER DANS L'ENTREPRISE ...

L'ÉGALITÉ ...

LES DROITS DE L'HOMME ...

DITES-MOI D'OÙ VIENT TOUT CET ARGENT QUE VOUS GAGNEZ TOUS LES MOIS !

ROBIN, TU DOIS TOUJOURS GARDER CELA EN TÊTE...

NOUS ACHETONS UNE MANCHANDISE TRÈS PARTI-CULIÈRE : LA FORCE DE TRAVAIL DE NOS OUVRIERS !

UNE MARCHAN-DISE... LA FORCE DE TRAVAIL...

FAIS-LE... NON... FAIS-LES TOUS TAIRE !

QUANT À CET INSOLENT, JE M'OCCUPE DE LE RENVOYER SUR-LE-CHAMP.

NOUS ACHETONS UN PRODUIT PARTICULIER... LA FORCE DE TRAVAIL DES OUVRIERS...

HIC !

TU PEUX PAS FAIRE GAFFE ?!?

OUI, VOILÀ ! J'ACHÈTE AVEC MON ARGENT LA FORCE DE TRAVAIL DE MES OUVRIERS !

TCHAP

GRRR

GRRR

ET JE NE VOIS PAS OÙ EST LE MAL !

SALUT MON CHOU !

TU VIENS AVEC MOI ?

JE N'AI PAS À REGRETTER ! JE SUIS MA PROPRE VOIE !

GRRR

PROUVE-MOI TA DÉTERMINATION !

QU'EST-CE QUI TE MOTIVE À ACCEPTER MA PROPOSITION ?

TU AS VU SA TENUE ?

UNE PROSTITUÉE...

...

LA HONTE...

COMMENT OSE-T-ELLE ?

TU... QUELQUE CHOSE NE VA PAS ?

HIC !

HEIN ? NON NON, TOUT VA BIEN...

DANS CE CAS, BOIS DONC UN VERRE DE PLUS !

C'EST MOI QUI INVITE !

GLOUP GLOUP

HA HA !

JE NE SAVAIS PAS QUE TU FRÉQUENTAIS CE GENRE D'ENDROITS...

COMMENT ÇA ?

ÇA A L'AIR CHER...

HÉ HÉ... BAH...

JE VOIS...

TU AS RÉUSSI DANS LES AFFAIRES...

MAIS OUI ! NOTRE PROMESSE !

ZAAAASH !

HIIIC !

JE T'ÉPOUSE !!!

...

GLOUPS !

PFUU ! TA SITUATION NE ME CONVIENT PAS ENCORE !

GRRR

HEIN ? C'EST ENCORE INSUFFISANT POUR TOI ? HA HA HA !

• • •

JE NE T'AI JAMAIS VU BOIRE AUTANT, ROBIN !

TU AS DES SOUCIS ?

GLOUPS

OUI ! J'AI DES OUVRIERS QUI SE PLAIGNENT DANS MON ENTREPRISE !

ILS SE PLAIGNENT ?

ROBIN, ATTENDS...

TU TE RENDS COMPTE DE CE QUE TU DIS ? TU AS COMPARÉ DES HOMMES À DES "MARCHAN-DISES" !

PARDON, LA FORMULE N'ÉTAIT PEUT-ÊTRE PAS TERRIBLE, MAIS...

... JE SUIS BIEN OBLIGÉ DE FAIRE ÇA SI JE VEUX POUVOIR PARVENIR À MES FINS...

JE DOUTE QUE TU SOIS EN MESURE DE COMPRENDRE...

NON, JE NE COMPRENDS PAS !

...

RAISON DE PLUS POUR BOIRE ENCORE !

GLOUPS

ÇA ME FAIT TOUT DRÔLE QUE TU M'AIES INVITÉE AU RESTAURANT...

HA HA HA...

HEU... MERCI POUR CE BON REPAS...

HÉLÉNA...

NE TRAVAILLE PLUS DANS CES QUARTIERS DE LA NUIT...

...

TU SAIS ROBIN ...

OUI ? QUOI ?

OH LE JOLI GARÇON !

OOOH !

PAS MAL CE CLIENT ! TU ME LE REFILERAS APRÈS ?

HEU...

OUI...

QUOI ! TU VEUX TE LE GARDER POUR TOI TOUTE SEULE ?!?

GRRR

MONSIEUR, PASSEZ ME VOIR LA PROCHAINE FOIS QUE VOUS VIENDREZ DANS LE COIN !

...

ET TON TRAVAIL AU CHAMP ?

LE CHAMP ?

IL EST PLUS FACILE ET RAPIDE DE GAGNER DE L'ARGENT ICI...

DANS CE CAS...

... SI JE TE DONNE DE L'ARGENT, NOUS...

TU SAIS, JE SUIS À LA MERCI DE TOUT LE MONDE...

DES PLUS RICHES, DES MOINS RICHES...

JE SUIS AUSSI DEVENUE UNE MARCHANDISE ...

J'AIMERAIS, SI POSSIBLE...

... QUE TOI ET MOI, GARDIONS NOS LIENS D'AMITIÉS, COMME AUTREFOIS !

NON, JE NE VEUX PAS T'ACHETER...

JE...

...

...

SALUT...

MON-
SIEUR
?

JE VOUS
FAIS
UN BON
PRIX !

ÇA TE DIT ?
AVEC MOI...

WHAAAA !

QU...
MAIS !

ATTENDS !

IL FAUT PAYER D'ABORD...

...

ZUIP

HÉ BIEN QUOI ? TU TREMBLES ?

...

OÙ EST PASSÉE TA FOUGUE DE TOUT À L'HEURE ?!?

WHAAA !

FWAB

LA VALEUR

MERCI !

C'EST MOI QUI VOUS REMERCIE !

153

JE PEUX GOÛTER ?

PRENDS JUSTE UN PETIT MORCEAU, ALORS...

ON UTILISE POURTANT LES MÊMES MÉTHODES DE FABRICATION... HMM...

...

QU'ES-TU VENU FAIRE ICI ?

...

ZUP ?

JE POURRAI REVENIR ICI SI JE FERME MON USINE ?

ET TON EMPRUNT ?

GNNN !

KLONG!

JE PENSE POUVOIR LE REMBOURSER EN VENDANT SUR LE MARCHÉ...

TU ES VENU TE FAIRE PLAINDRE, C'EST ÇA ?

DANIEL M'A DIT QUE SI JE VOULAIS...

... DEVENIR RICHE...

... JE DEVAIS EXPLOITER AU MAXIMUM LES RESSOURCES DE MES OUVRIERS.

QUE JE DEVAIS LES CONSIDÉRER COMME DE LA MARCHANDISE.

DE TELS MOTS NE M'ÉTONNENT GUÈRE D'UN CAPITALISTE...

MAIS JE N'AI PAS LA CARRURE POUR CONTINUER COMME ÇA...

...

AU FAIT, TON DANIEL EST VENU ICI IL N'Y A PAS TRÈS LONGTEMPS...

?

IL EST VENU TE VOIR ? POURQUOI FAIRE ?

IL M'A FAIT SIGNER DE LA PAPERASSE...

?

IL AVAIT PEUR QUE TU ÉCHOUES À LA TÂCHE ET QU'EN CAS DE FAILLITE...

... TU NE PUISSES PAS REMBOURSER SON INVESTISSEMENT.

J'AI DONC HYPOTHÉQUÉ MON TERRAIN, MON ÉTABLE ET TOUT LE RESTE, AU CAS OÙ...

... ?

TU NE PEUX DONC PAS REVENIR, ROBIN !

MAIS TU N'AS POURTANT RIEN À VOIR DANS CETTE AFFAIRE, PAPA !

TU TROUVERAS TOUJOURS UN MOYEN POUR LE REMBOURSER !

C'EST CE QUE TU LUI AS PROMIS, NON ?

...

TU N'AS RIEN, TOI ! JE SUIS LE SEUL À POUVOIR COUVRIR TES DETTES SI JAMAIS TU ÉCHOUES...

LES TYPES COMME DANIEL SONT DES VAUTOURS ...

ILS SONT CAPABLES DE TOUT ET NE RECULENT DEVANT AUCUN MOYEN...

MAIS
...

TU...

CES GENS-LÀ NE PRÊTENT PAS DE L'ARGENT JUSTE POUR NOUS FAIRE PLAISIR. ILS N'AIMENT PAS MISER DANS LE VENT LEUR FORTUNE.

MAIS ILS SE DÉBROUILLENT TOUJOURS POUR NE PAS AVOIR À SUBIR LES DOMMAGES D'UNE MAUVAISE GESTION.

QUE TU ÉCHOUES OU QUE TU RÉUSSISSES, ILS NE SERONT JAMAIS LES PERDANTS !

RETOURNER VENDRE AU MARCHÉ...

NE TE PERMETTRA MÊME PAS DE COUVRIR LE REMBOUR-SEMENT DES INTÉRÊTS...

MONSIEUR DANIEL ?

OUI ?

UNE PERSONNE NOMMÉE ROBIN DEMANDE À VOUS VOIR...

MONSIEUR
ROBIN,
JE VOUS
EN PRIE...

MERCI...

...

QUE ME VAUT TA VISITE ?

JE SUIS VENU M'ASSURER QUE VOUS N'AVEZ PAS ESSAYÉ DE ME ROULER DANS LA FARINE...

HA HA !

ÇA C'EST UNE VRAIE QUESTION...

VOUS AVEZ AUSSI MÊLÉ MON PÈRE À NOS AFFAIRES !

HMM ?

AH ! COMME GARANT, OUI...

J'AVAIS CONFIANCE EN VOUS...

JE ME SUIS ENDETTÉ POUR OUVRIR CETTE USINE...

VOUS N'AVIEZ PAS LE DROIT DE MÊLER MON PÈRE À ÇA !

AU FINAL, TOUT CE QUI VOUS INTÉRESSAIT, C'ÉTAIT L'ARGENT, UNIQUEMENT *L'ARGENT* !

ROBIN...

NE ME PARLE PAS SUR CE TON, VOYONS...

ASSIEDS-TOI...

ROBIN, TU AS COMMENCÉ CETTE ACTIVITÉ PARCE QUE TU LE VOULAIS, N'EST-CE PAS ? JE NE T'AI PAS FORCÉ...

IL EST UN PEU TARD AUJOURD'HUI POUR ME PARLER DE TOUT ÇA...

DANIEL...

DITES-MOI FRANCHE-MENT...

POUR VOUS, JE NE SUIS AUSSI QU'UNE MARCHANDISE SUR LAQUELLE VOUS AVEZ MISÉ, N'EST-CE PAS ?

UNE... MARCHANDISE ?

...

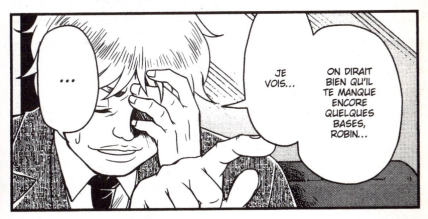

...

JE VOIS...

ON DIRAIT BIEN QU'IL TE MANQUE ENCORE QUELQUES BASES, ROBIN...

J'AI INVESTI MON ARGENT POUR TOI !

TU ES DONC DANS L'OBLIGATION DE ME FAIRE HONNEUR EN AYANT DES RÉSULTATS. C'EST NORMAL, NON ?

ET SI TU N'EN ES PAS CAPABLE...

... RIEN NE T'EMPÊCHE DE FAIRE MARCHE ARRIÈRE ET D'ARRÊTER !

MAIS TU DEVRAS QUAND MÊME ME REMBOURSER CE QUE JE T'AI PRÊTÉ !

ET IL M'EST ÉGAL QUE...

TCHAP

... TU DOIVES VENDRE TES ORGANES POUR Y ARRIVER..

!?

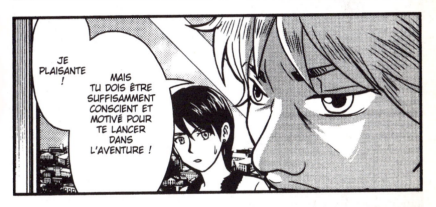

JE PLAISANTE !

MAIS TU DOIS ÊTRE SUFFISAMMENT CONSCIENT ET MOTIVÉ POUR TE LANCER DANS L'AVENTURE !

MANGER OU ÊTRE MANGÉ...

LA GLOIRE ET LE SUCCÈS NE SONT JAMAIS ACQUIS SANS QUELQUES RISQUES !

TON BUT EST DE DEVENIR RICHE, N'EST-CE PAS ?

JE SUIS DE TOUT CŒUR AVEC VOUS, ROBIN !

HA HA HA ! ÇA VA DRÔLEMENT L'AIDER, ÇA !

...

JE PLAISANTAIS ! PAR CONTRE, TU VAS PEUT-ÊTRE POUVOIR NOUS AIDER, OUI...

NE TE FICHE PAS DE MOI, VOYONS !

NOUS SOMMES DANS LA BANQUE DIRIGÉE PAR LE PÈRE D'ENNIE...

D'HABITUDE, PERSONNE N'A LE DROIT D'ENTRER DANS LES COFFRES...

QUE DES FAMILLES ENTIÈRES TRAVAILLENT DU MATIN JUSQU'AU SOIR...

QUE DE NOMBREUSES JEUNES FILLES OFFRENT LEURS CHARMES À DE VIEUX LIBIDINEUX...

...

QUE LES HOMMES SE HAÏSSENT...

... SE TRAHISSENT...

... S'ENTRETUENT ...

ET TOI, ALORS ?

PEUX-TU ME DONNER LES RAISONS QUI TE POUSSENT À VOULOIR T'ENRICHIR ?

TOUT ÇA POUR ÇA...

JE...

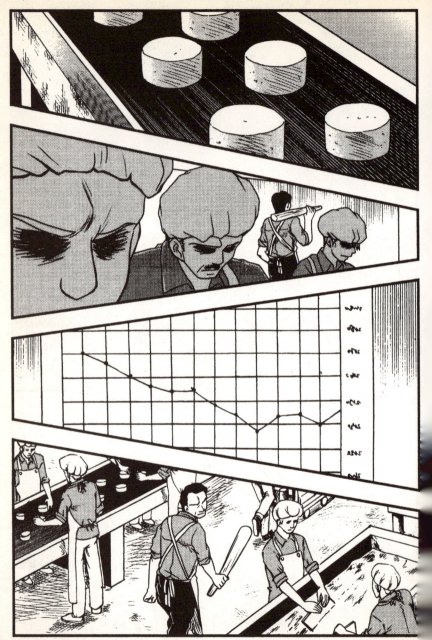

POUR QUELLES RAISONS ?

POUR QUOI ?

TRAVAILLE PLUS !

PLUS VITE !

BING !

ET TÂCHEZ D'ÊTRE PLUS CONSCIENCIEUX !

PAF!

UNE CHOSE EST AU MOINS SÛRE...

JE NE LUI LAISSERAI JAMAIS LA TERRE DE MON PÈRE !

MAIS POUR L'HEURE...

PLUS !

VOUS ENTENDEZ ?

FAITES-LES TRAVAILLER ENCORE PLUS !

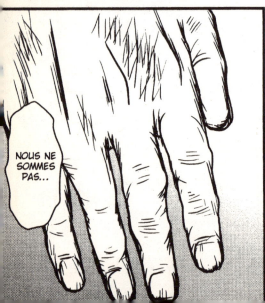

NOUS NE SOMMES PAS...

... LEURS ESCLA-VES...

NOUS NE SOMMES PAS...

...LEURS ESCLA-VES...

NOUS NE SOMMES...

... LES ESCLAVES DE PERSONNE !

POURTANT, LES CAPITALISTES ...

... NOUS CONSIDÈRENT COMME TEL !

POUR EUX, NOUS NE SOMMES QUE DES MACHINES DOTÉES D'UNE FORCE DE TRAVAIL QU'ILS EXPLOITENT À LEUR GUISE !

POUR EUX, NOTRE TEMPS DE TRAVAIL, C'EST 24 HEURES AUXQUELLES ON A RETIRÉ QUELQUES INSTANTS DE SOMMEIL !

JE CONNAIS UN HOMME QUI A ÉTÉ ABRUTI PAR LE TRAVAIL. UN SOIR, EN RENTRANT CHEZ LUI, IL A ANNONCÉ À SON ÉPOUSE...

"JE NE SUIS PAS UN ESCLAVE !"

MAIS LE SOIR MÊME...

... CELA N'A PAS EMPÊCHÉ SA FEMME D'ALLER VENDRE SON CORPS EN VILLE.

MÊME SES DEUX GOSSES SONT CONTRAINTS D'ALLER TRAVAILLER DUREMENT !

EST-CE CELA QU'ON APPELLE UNE FAMILLE ?

RÉVEILLEZ-VOUS ! JUSQU'À QUAND ACCEPTEREZ-VOUS D'ÊTRE DES ESCLAVES ?

OUI... IL A RAISON...

NOUS SOMMES COMME EUX, POURTANT...

C'EST ANORMAL, OUI...

POUR QUOI...

À BOUT DE FORCES, LES OUVRIERS SONT JETÉS COMME DES MALPROPRES !

ÊTES-VOUS PRÊTS À MOURIR AU TRAVAIL SANS AUCUNE FORME DE RESPECT ? DANS LE SILENCE ET L'ANONYMAT ?

ZUIP

SI JE COMPRENDS BIEN...

MA VIE N'A DE SENS QUE PARCE QUE VOUS VOULEZ BIEN ACHETER MA FORCE DE TRAVAIL, C'EST ÇA ?

HA HA HA !

JE COMPTE SUR TOI, MON CHER CAVALIER !

RETOURNE AU BOULOT !

ET NE T'AVISE PLUS DE SOULEVER ENCORE LES FOULES !

JE NE SUIS PAS UNE MAR-CHANDISE...

JE SUIS UN HOMME !

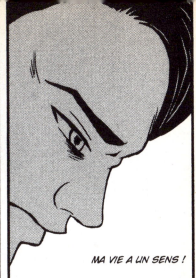

MA VIE A UN SENS !

ET JE VEUX VIVRE !

Le manga que vous venez de lire est inspiré par l'œuvre majeure de Karl Marx, le livre 1 de « Das Kapital ». Marx ne se contente pas de révéler au grand jour les ressorts cachés du capitalisme, il utilise aussi une méthode philosophique matérialiste pour comprendre sa naissance, son développement et la perspective révolutionnaire de son renversement. Nous espèrons que cette libre adaptation en manga sera pour tous les lecteurs une porte d'entrée pour s'intéresser de plus près à la pensée de Marx : « Les philosophes ont diversement interprété le monde. Il s'agit maintenant de le transformer ».

Découvrez le deuxième volume du CAPITAL en manga ou la suite de l'histoire de Robin permet en compagnie de Karl Marx et Friedrich Engels de comprendre les causes des crises du capitalisme.

Résumé du volume 2 :

La suite de l'histoire de Robin va nous permettre de découvrir avec Friedrich Engels, l'ami de Karl Marx, comment la recherche du profit conduit à une production marchande croissante. Ceci peut déboucher sur les crises générales du marché mondial comme celle qui a démarré en 2007 aux Etats-Unis et s'est étendue à tous les pays développés.

KARL MARX

LE CAPITAL

SOLEIL MANGA

Marx, Qu'est-ce que le capitalisme ?

Le capitalisme naît au XVIe siècle de l'essor du marché mondial. La richesse des sociétés où règne le capitalisme apparaît comme une immense accumulation de marchandises. Un capitaliste est un propriétaire d'argent qui achète des marchandises pour les transformer en plus d'argent. La plus-value est le seul but de ces échanges. Marx a identifié son origine : une seule marchandise, le travail humain, possède la propriété de créer plus de valeur qu'elle n'a coûté. En l'achetant, le capitalisme s'approprie du travail non payé : la plus-value, réalisée lorsque la marchandise est vendue. L'argent devient alors du capital.

Karl Marx

QU'EST-CE QUE LE CAPITALISME

LE CAPITALISME

Volume 1 : Les mystères de la plus-value

Préface de Gérard Mordillat

Marx, Les crises du capitalisme :

Dans ce texte court et percutant, Karl Marx présente son analyse de la crise du capitalisme. Selon lui, la recherche incessante du profit et la valorisation du capital incite à produire toujours plus alors que la consommation reste limitée. La surproduction oblige à réduire la production, impose le chômage partiel et les licenciements. Des entreprises font faillite, les actions chutent en bourse, le chômage explose et la surproduction s'étend. Les crises résultent ainsi des contradictions inhérentes au capitalisme.

Karl Marx

LES CRISES
DU CAPITALISME

Texte inédit

Préface de Daniel Bensaïd

Toyota :

Toyota, premier producteur mondial d'automobiles, est connu pour sa performance industrielle et sa rentabilité. L'auteur, Satoshi Kamata, relate dans ce journal autobiographique le quotidien des ouvriers de l'usine de Nagoya au Japon. Écrit dans les années 1970, ce témoignage reste d'une étonnante actualité. Il décrit comment le travail en équipe et la polyvalence, visant à une augmentation continue de la productivité, fonctionnent comme un redoutable mécanisme de pression psychologique sur les ouvriers.

Kamata Satoshi
Préface de Paul Jobin

TOYOTA
L'usine du désespoir

Marx et l'histoire :

Dans ces textes inédits, Eric Hobsbawm partage sa passion pour l'histoire. Avec modestie, il avoue avoir consacré sa vie à une cause qui manifestement a échoué : le communisme initié par la révolution d'octobre. Mais rien n'aiguise l'esprit de l'historien comme la défaite. L'auteur explique pourquoi et comment le matérialisme de Marx s'est imposé au cœur de la démarche des historiens. Il nous éclaire sur la curieuse histoire de l'Europe et la montée de la barbarie contemporaine, et met en garde contre les mensonges et les mythologies.

Eric Hobsbawm

MARX & L'HISTOIRE

Textes inédits

Le salarié jetable, Louis Uchitelle

Dans cette enquête, Louis Uchitelle, chef du service économique du New York Times, démontre qu'en vingt-cinq ans la multiplication des licenciements a ébranlé la confiance des Américains. Qu'ils soient cadres dirigeants, employés ou ouvriers, tous vivent désormais avec la peur de perdre leur emploi. Face aux conséquences désastreuses de la mondialisation sur l'emploi aux Etats-Unis, Uchitelle appelle à une intervention volontariste de l'état. Il propose des mesures précises pour remédier à la crise actuelle.

Louis Uchitelle

LE SALARIÉ JETABLE

Enquête sur les licenciements
aux États-Unis

Demopolis

Surpêche. L'Océan en voie d'épuisement, Charles Clover

La pêche moderne a conduit, en cinquante ans, à la disparition de 90% de la biomasse des grands préda- teurs océaniques. Charles Clover, rédacteur en chef au Daily Telegraph, révèle la tragédie silencieuse qui se déroule dans tous les océans du globe. Il ques- tionne les scientifiques sur les effets dévastateurs de la surpêche, l'ampleur et l'urgence de ce problème. Face à la menace d'extinction qui pèse sur le thon rouge et le cabillaud, Charles Clover appelle pêcheurs, politiques, citoyens et consommateurs à se mobiliser sans attendre : choisir le poisson que l'on consomme, demander des comptes sur son origine et la façon dont il a été pêché, créer des réserves marines pour permettre aux espèces de se régénérer, et moderniser les législations nationales, européennes et internationales pour parvenir à une gestion durable des océans.

Charles Clover

Préface de Charles Braine

SURPÊCHE

L'Océan en voie d'épuisement

MENACE SUR LES POISSONS

WWF

Néo-libéralisme, version française, François Debord

Voici la première histoire du néo-libéralisme français. À l'encontre des idées reçues, le néo-libéralisme n'est pas venu tout droit de Grande-Bretagne ou des Etats-Unis dans les années 1980. Son histoire s'enracine dans le bouillonnement intellectuel et politique de la France de l'entre-deux-guerres. Des économistes, des patrons et des hauts fonctionnaires jettent alors les bases d'un libéralisme nouveau et élaborent un art de gouverner. En s'appuyant sur des documents d'archives inédits, ce livre retrace la longue marche des années 1930 à aujourd'hui.

François Denord

NÉO-LIBÉRALISME

VERSION FRANÇAISE

Histoire d'une idéologie politique

Demopolis

La production de l'idéologie dominante, Pierre Bourdieu et Luc Boltanski

L'idéologie dominante s'impose socialement comme une évidence légitime fondée jadis sur la propriété, hier sur la compétence, aujourd'hui sur le mérite. Selon une logique circulaire implacable, elle contribue à reproduire l'ordre social en faisant des propriétés sociales des dominants le fondement légitime de la domination. Pour contrer le discours de la fin des idéologies, de la disparition des classes et des intérêts de classes, il faut démonter la philosophie sociale dominante dans le champ du pouvoir. Ecrit il y a une trentaine d'années à propos de la France de Giscard, ce texte politique et scientifique fournit les outils nécessaires à un tel démontage pour peu qu'on veuille l'appliquer à la France de Sarkozy.

Pierre
Bourdieu

Luc
Boltanski

LA PRODUCTION
DE L'IDÉOLOGIE
DOMINANTE

Éditions Raisons d'agir

Rendre la réalité inacceptable à propos de La production de l'idéologie dominante, Luc Boltanski

Luc Boltanski se souvient de ce printemps 1974 où, sous l'égide de Pierre Bourdieu, se fonde le comité éditorial de la revue « Les Actes de la recherche en sciences sociales ». Malgré des moyens rudimentaires, le travail, la volonté, le foisonnement intellectuel et la folie peut-être de cette équipée fantastique donnent naissance à un « fanzine de sociologie ». Cette époque, où le jeune Boltanski est devenu le plus proche collaborateur du « Patron » Bourdieu, marque la période charnière de la sociologie critique française. En 1976, ils publient La Production de l'idéologie dominante, texte écrit à deux mains. Luc Boltanski, sociologue, a eu à c?ur de rendre hommage à Pierre Bourdieu en restituant la genèse et l'esprit de ce texte. Il débouche sur une critique radicale des formes actuelles de l'idéologie dominante.

Luc Boltanski

RENDRE LA RÉALITÉ
INACCEPTABLE

à propos de

LA PRODUCTION DE L'IDÉOLOGIE DOMINANTE

L'incroyable histoire du Nouveau Parti Anticapitaliste, François Coustal

Forte de ses résultats à l'élection présidentielle de 2007, la LCR, par la voix de son porte-parole Olivier Besancenot, annonce son ambition de créer le Nouveau Parti Anticapitaliste (NPA). Le congrès de janvier 2008 vote en faveur d'une formation « par le bas ». Depuis lors, les comités NPA fleurissent par centaines, regroupant des militants de la LCR, d'anciens militants du PS, du PC, de LO et d'organisations libertaires, de nouveaux venus à la politique ainsi que des ouvriers de Peugeot Mulhouse, des jeunes des cités d'Avignon... La LCR atteint des scores historiques aux municipales et la médiatisation du phénomène NPA s'amplifie. Au gré de rencontres chaleureuses et de témoignages émouvants, le livre de François Coustal, depuis 30 ans membre de la Direction nationale de la LCR, entraîne le lecteur dans un voyage à l'intérieur du nouveau parti en construction.

L'INCROYABLE HISTOIRE
DU NOUVEAU PARTI
ANTICAPITALISTE

François Coustal

**SOLEIL
MANGA**

Écrivez-nous à :
Soleil Manga
25, rue Titon
75011 Paris - France
manga@soleilprod.com

Titre original : "MANGA DE DOKUHA: DAS KAPITAL 1" by Karl Heinrich Marx
Copyright © VARIETY ART WORKS, EAST PRESS CO., LTD.
All right reserved.
Original Japanese edition published by EAST PRESS CO., LTD.
This French edition is published by arrangement with EAST PRESS CO., LTD., Tokyo
in care of Tuttle-Mori Agency, Inc., Tokyo

© 2011 MC Productions pour l'édition en langue française
15, bd de Strasbourg
83000 Toulon - France
Conception et adaptation graphique : Studio Soleil
Traduction : Florent Gorges
Adaptation : Demopolis
Lettrage : Studio Charon
Dépôt légal : Janvier 2011
ISBN : 978-2-30201-322-3
Impression : Ercom - Italie